Adolphe Piriou
(1878–1964)

PETITES HISTOIRES
opus 17
pièccettes pour piano

ÉDITIONS SALABERT

PETITES HISTOIRES

opus 17

pièцettes pour piano

Adolphe Piriou

pour Anne-Marie

I – Colombine et Arlequin

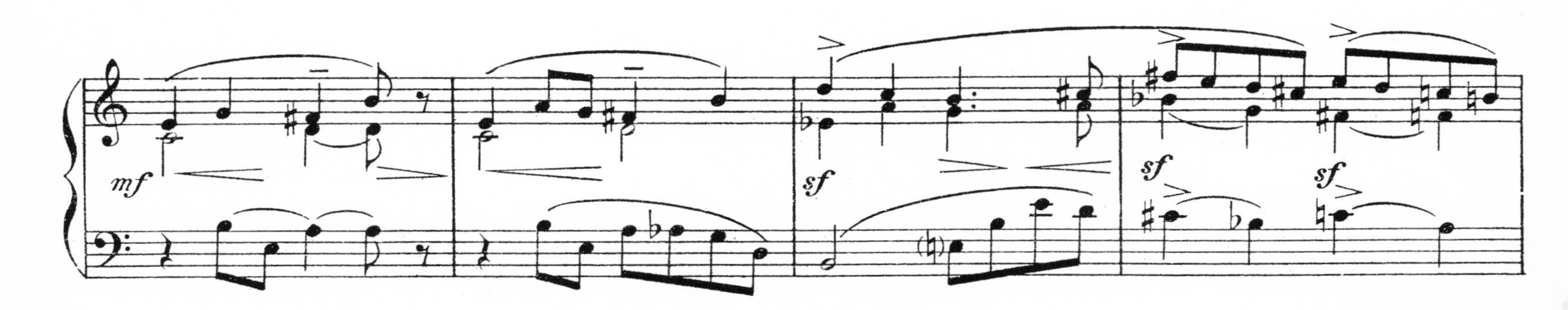

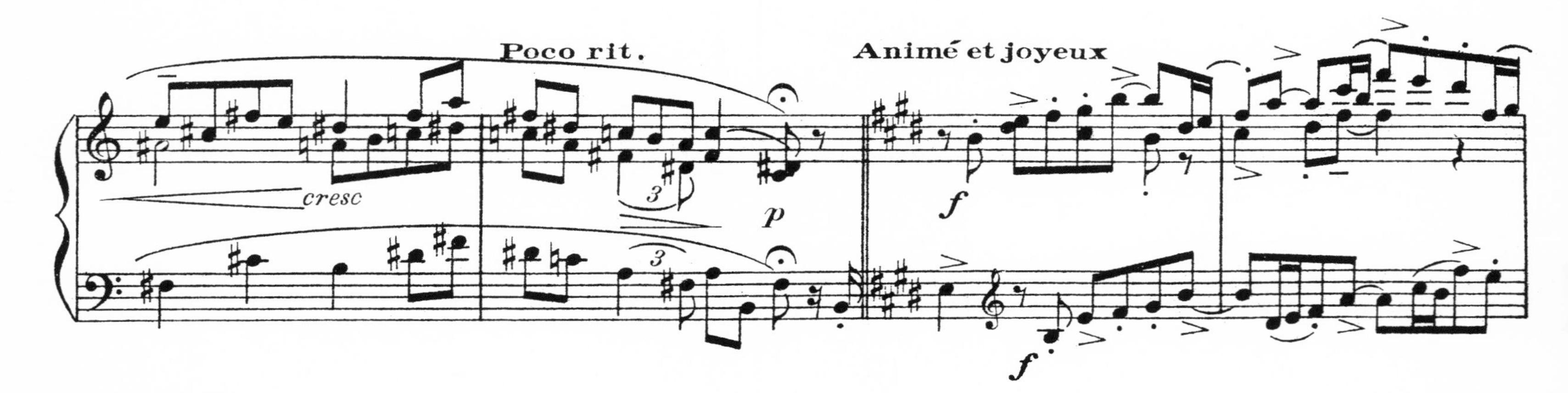

EAS 12259

p

en animant
Modéré
cresc.
molto
ff
p

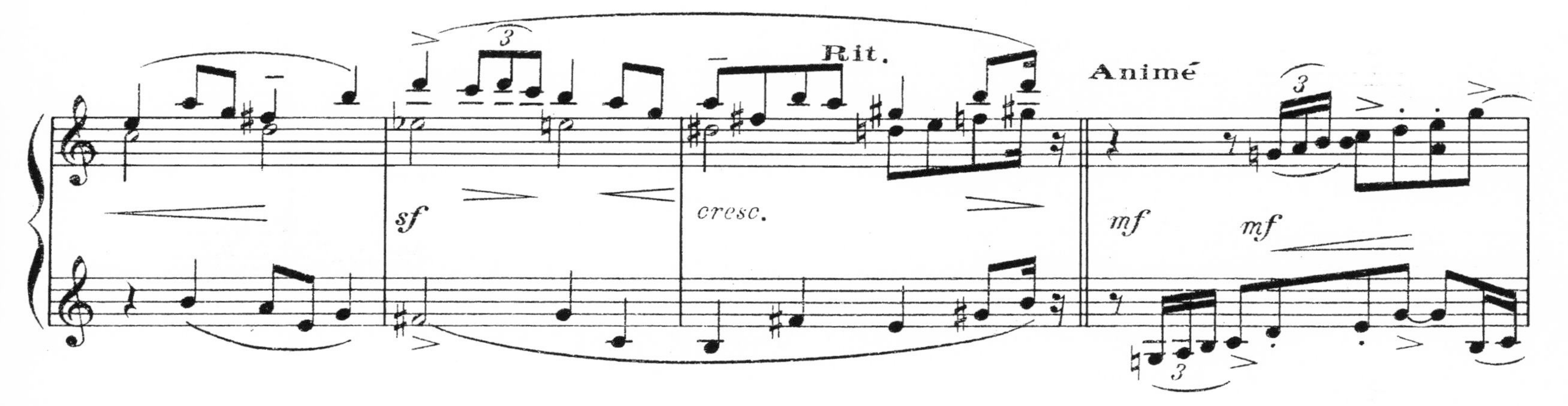
Rit.
Animé
sf
cresc.
mf
mf

Rit.
cresc
f
sf
p

Calme
p
mp
m.d.
mf
p

pour Paulette
II – Polichinelle

Animé et bien rythmé
Poco rit.
PIANO
f
mp

a Tempo
Molto rit.
a Tempo
f
sf
mp
p

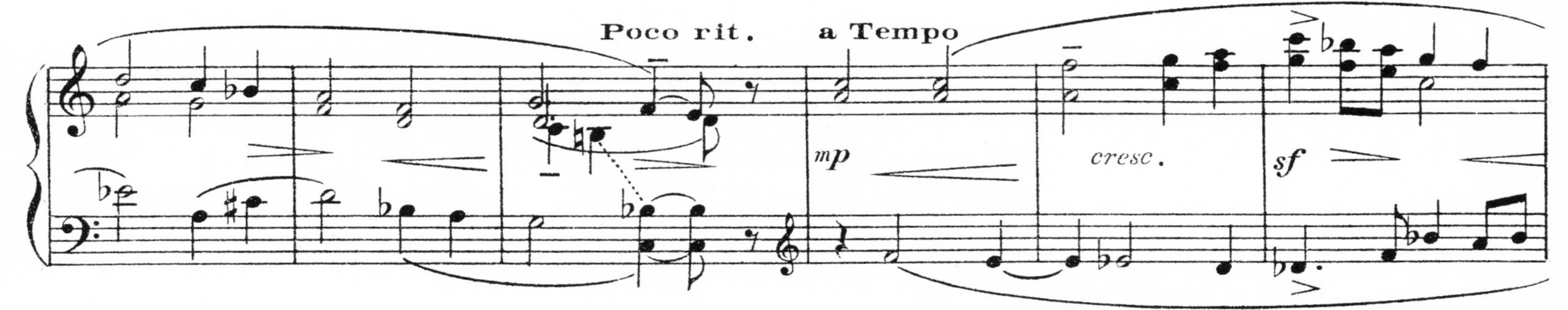
Poco rit.
a Tempo
mp
cresc.
sf

Poco rit.
sf
p
cresc.
sf
f

Poco rit.
a Tempo
mp
f
sf

molto rit.
a Tempo
Poco rit.
mp
p

a Tempo
p
cresc.
sf
sf

Rit.
p
sf
cresc.
dim.
p
f

I.º Tempo
p
f

Poco rit.
mp
f
sf

Rit.
a Tempo
ff
dim.
p
ff

pour Blanche-Yvonne

III – Les Petits moulins

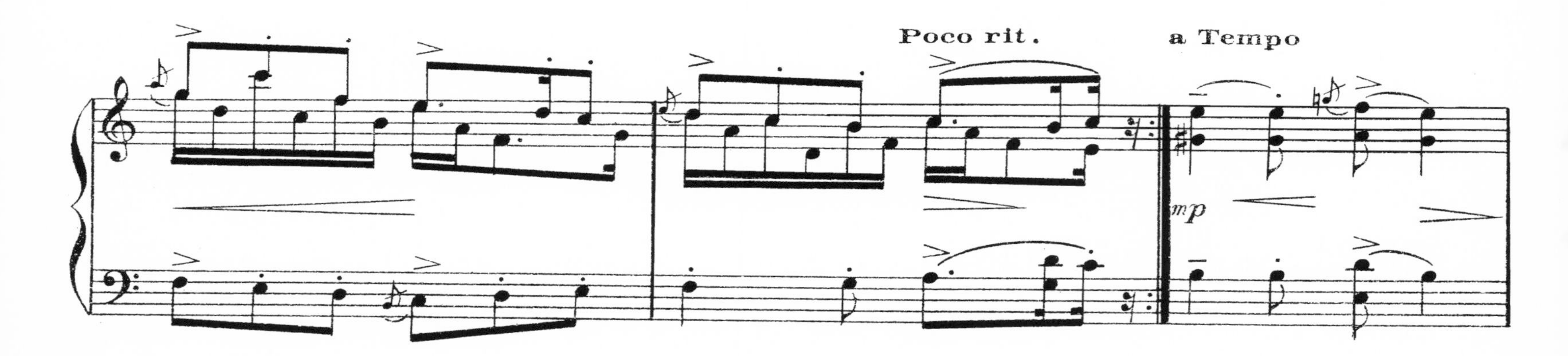

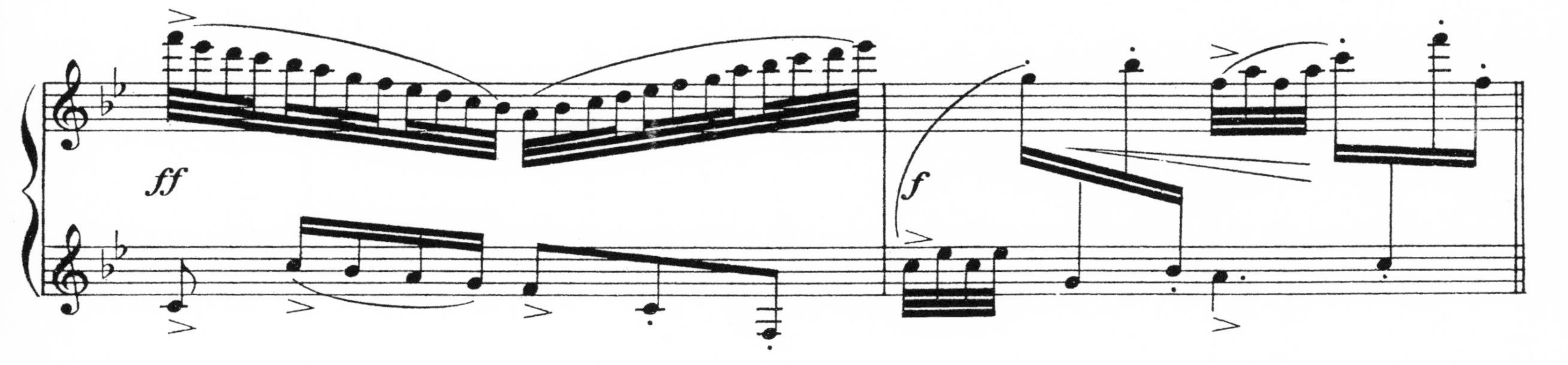
ff
f

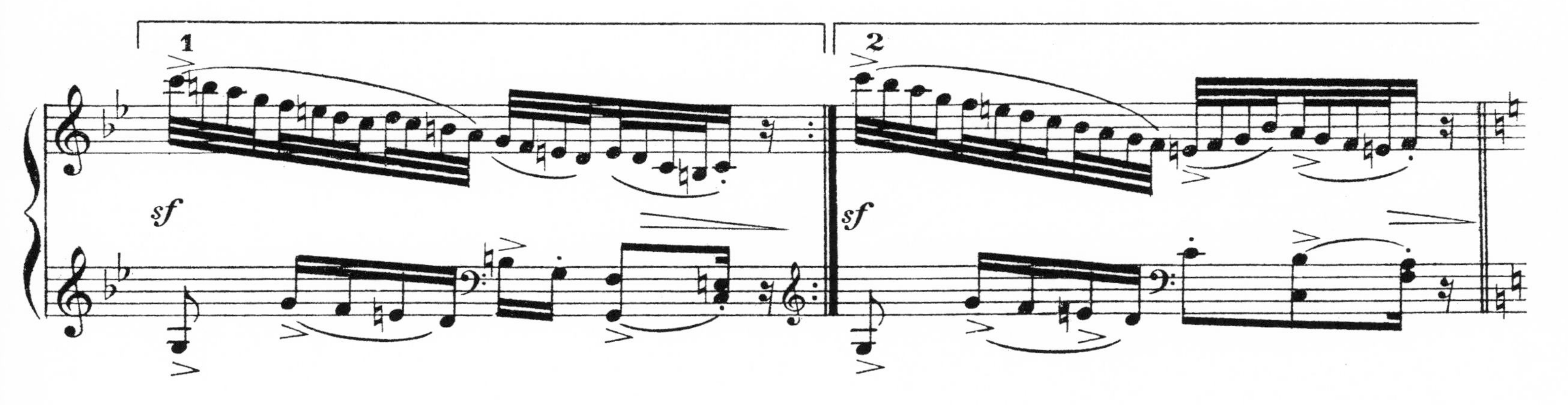
1
sf
2
sf

p
mf

mf

cresc.
f
mf

sf
f

1
sf
2
sf

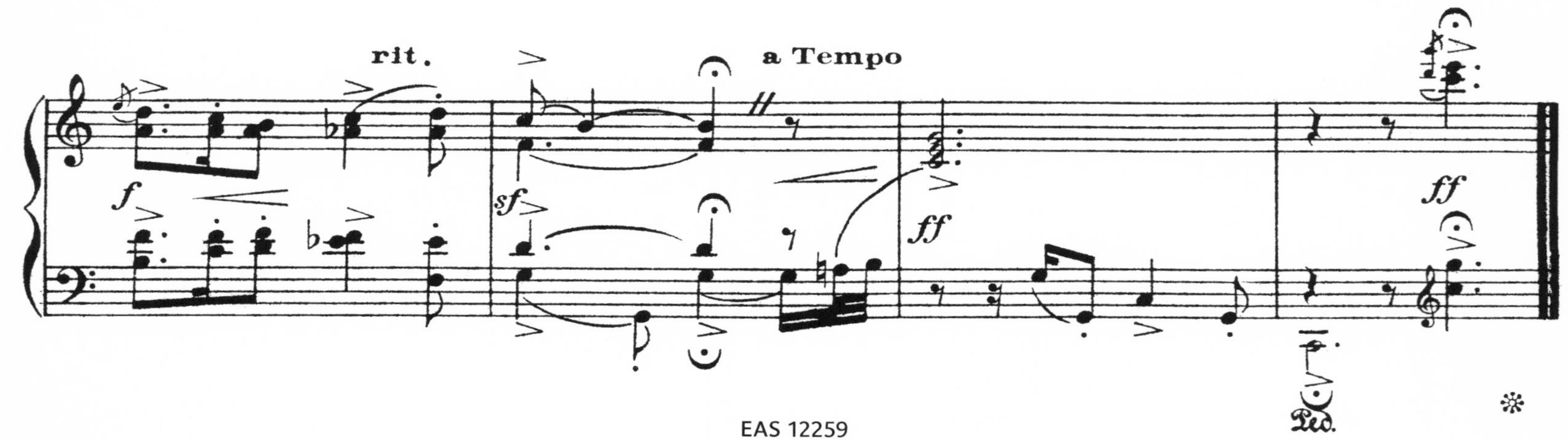
rit.
a Tempo
f
sf
ff
ff
Ped.